郑栗儿/著

果 祥/绘

大师密码 A－Z系列

大师密码B

独臂禅师与刺客

人民东方出版传媒
People's Oriental Publishing & Media
東方出版社
The Oriental Press

图书在版编目（CIP）数据

大师密码．B. 独臂禅师与刺客 / 郑栗儿著；果祥绘．—北京：东方出版社，2015.2
ISBN 978-7-5060-8014-9

Ⅰ.①大… Ⅱ.①郑… ②果… Ⅲ.①儿童故事－作品集－中国－当代 Ⅳ.① I287.5

中国版本图书馆 CIP 数据核字 (2015) 第 030719 号

本书由台湾东初文化事业股份有限公司独家授权
中文简体字版专有权属东方出版社
著作权合同登记号 图字：01-2014-7459 号

大师密码 B：独臂禅师与刺客
（DASHI MIMA B: DUBI CHANSHI YU CIKE）

作　　者：郑栗儿
绘　　者：果　祥
产品经理：张媛媛
责任编辑：张媛媛
出　　版：东方出版社
发　　行：人民东方出版传媒有限公司
地　　址：北京市东城区朝阳门内大街 166 号
邮政编码：100706
印　　刷：小森印刷（北京）有限公司
版　　次：2015 年 4 月第 1 版
印　　次：2016 年 3 月第 2 次印刷
印　　数：4 001—9 000 册
开　　本：720 毫米 ×950 毫米 1/16
印　　张：4
字　　数：36 千字
书　　号：ISBN 978-7-5060-8014-9
定　　价：18.00 元
发行电话：（010）64258117 64258115 64258112

如有印装质量问题，请拨打电话：（010）64258123

目 录

出版前言

每个父母都希望孩子未来能出类拔萃，并在孩子的教育问题上倾尽心力。

许多孩子长大后成熟乐观，在社会上如鱼得水，但不少人成年后并不快乐。他们即使地位显赫、经济条件优越，依然郁郁寡欢。带来快乐的因素有很多，其中起决定作用的则是人格。面对同样的问题，不同的人格往往造就不同的结果。

怎样才能培养健全的人格？我们不妨到传统文化中去寻找答案。几千年来，儒、道、佛相得益彰，共同塑造着国人的精神世界。儒家关切社会的治理，道家关怀生命自然状态的保持，而佛家则关心人生痛苦的解除。故此，历史上就有“儒家治世、道家治身、佛家治心”的说法。

今天很多人习惯于将佛教简单理解为一种宗教，有的人甚至认为它是封建迷信。如果去掉宗教的外衣，它其实是一座充满智慧，兼具心理、品德教育功能的文化宝库。

为此，我们从台湾引进了这套“大师密码”A–Z 系列。这套书以 130 个佛教大师的成长故事，体现了 130 个美好的人格特质。沉着、孝顺、无畏、远见……从这些有趣的故事里，孩子们不但可以学会如何获得成功，更能明白如何倾听内心的声音，获得快乐。

这套书结构编排巧妙，集合了台湾优秀的作家及插画师。书中故事生动活泼，插画精美，在台湾广受好评，曾获得台湾“第 27 次中小学生优良课外读物推介”。相信它同样会得到大陆青少年朋友的喜爱。

推荐序

大师的密码　成功的特质

在我还是青少年时，就很喜欢阅读佛教大师的传记故事。可以说，我的人格就是从阅读大师的史传故事，点点滴滴建立起来的。

不论大人、小孩都喜欢读故事，法鼓文化历时两年的筹备，制作了这套有丰富精美插画的“大师密码”A-Z系列。这套书中，选出130个“大师的美好特质”，一个特质就是一个大师故事，让孩子在趣味的故事中自然吸收大师的养分。

我曾指出佛教的高僧必须具有四大条件：持戒清净、修行精进、慈悲济众与护持佛法；如果转换成现代人的语汇，就是自律、认真、宽大、懂得回馈，而这些正是所有成功人士必备的条件。

很多家长以为孩子学佛会变得消极、不具竞争力；如果从大师的四大条件来看，这样的想法完全错误！孩子接触佛法绝对会更积极、健康，能为他们的一生奠定稳固的基础。

大师们的成就绝非偶然，也没有人一出生就是大师，父母应该提供这样的环境，让人格正在成长形塑中的孩子，吸收历代大师们的生命菁华，转化为他们自己的。我相信这一套“大师密码”A-Z系列，能够成为孩子们成长的助缘！

聖嚴

台湾法鼓山禅修文教体系创办人

中国禅宗第一人

大师密码 Belief 信念

相信你一定看过达摩祖师大眼睛长胡子为造型的雕像，在日本，甚至还把他做成“不倒翁”形的吉祥物，主要就是希望将达摩坚定的信念作为“屹立不倒”的精神象征。

达摩原本是南天竺国的王子，公元 527 年，他从印度航海到中国后，本来想在江南弘法，却因为和梁武帝话不投机，所以便搭着芦草小船，渡过长江来到少林寺。身为武术高手的他，因此还传授少林弟子不少强身武术呢！

在少林寺经过长达九年的面壁静坐，信念坚定的达摩，最后终于如愿将法传给弟子慧可，之后禅法便逐渐在中国兴盛起来，后来的人就尊称达摩为中国的禅宗祖师。

小档案 达摩

- 国籍：印度
- 别称：中国禅宗祖师
- 专长：开创少林武功、禅法
- 影响：传禅法给慧可，开启中国禅宗的传承
- 事迹：不惧皇帝的权威，能坚持自己的信念；受到阻挠时，也不放弃在中国传法的信念

公元 527 年，印度洋澎湃着，西南季风吹拂一艘巨大的三帆船驶离天竺（印度）港口，载着商人们以及大批香料货物，准备前往中国进行贸易，交换瓷器和丝绸回来。

船上还有一位特别的人物，一个身形飘逸的出家人——菩提达摩。他站在船头，眺望着茫茫无际的大海，想着："此去前途茫茫，也许会在海上遇上暴风雨而葬身海底。但无论如何，到中国宣扬佛法的信念绝对不能放弃。"

达摩是印度禅宗第二十八代祖师，早在他继承禅宗衣钵，准备到天竺各地弘法时，他的师父般若多罗就特别吩咐他："有一天你也应该去中国弘法。"

在周游天竺时，达摩遇上了跋陀三藏（中国河南嵩山少林寺[1]的开山祖师），两人对于当时天竺佛教衰退及纷乱的局势感到非常忧心，而对方正好接受中国北魏孝文帝的邀请，要去中国传法。跋陀三藏说："中国的老百姓对于佛法非常渴望，那里地方广大，正适合将佛法发扬光大，希望有朝一日我们能在中国会合。"

[1] **少林寺**：位于河南嵩山五乳峰下，以少林武功闻名于世。

跋陀三藏与达摩告别后，就动身前往中国，达摩则继续留在天竺，但整个天竺却愈来愈混乱，除了各国间的战事连连外，君王为了私利也开始禁止佛教。达摩深深觉得：佛教在天竺将会愈来愈受到限制，中国反而有很大的发展机会，但是就像广大茂密的森林，一定要先从播下第一颗种子开始，自己应该要去中国建立禅法的基础。

于是，达摩登上远渡重洋的船，为了弘扬佛法的信念，向大海挑战。从孟加拉湾出发穿越印度洋，往南通过马六甲海峡，再北上南海直达番禺（广州）。这一段漫长的海路，好像蛇一样弯来绕去，并不通顺。中间又遇上强烈的暴风雨，大帆船差点灭顶，幸好最后还是有惊无险地载着达摩及其他乘客，终于抵达中国番禺。

这时是中国魏晋南北朝的梁武帝时期，南朝的梁武帝是一位崇信佛法的皇帝，因此全国上下也都弥漫着信佛的风气。当达摩足迹刚踏上中国土地时，番禺的刺史萧昂已经耳闻有位著名的天竺禅师来到中国弘法。他一面派人迎接达摩，一面赶紧呈报位在建康（南京）的梁武帝。萧昂百般礼遇达摩，不是因为求法心切，而是为了向皇帝表功。果然梁武帝下了一道召见的诏书，宣布以国师之礼迎接达摩入京。萧昂兴奋地带着达摩北上京城，才到城外，就看见以太子为首的欢迎队伍已经在那里列队恭迎，他们将达摩送到一座专门供他居住的豪华精舍。当晚，梁武帝特别准备了丰盛的筵席款待达摩，并在宴会后向达摩请法。

梁武帝十分虔诚地问：“请问师父，我在我的国土建造了许多佛寺，还派人到贵国天竺翻译佛经带回中国，并供养[2]无数个出家人，而且我治理国家也效法佛教慈悲为怀的精神，请问这样的功德[3]有多大呢？我是不是能够成佛？”

两人虽然只是初次见面，但是达摩一眼就看出梁武帝是个好大喜功的人，而且一心沉迷在成佛的梦幻中，并不是真正看清佛法道理而能利益众生的皇帝。由于他不愿意折服于权威，满足皇帝的虚荣心，便老老实实地答道：“皇上，并没有功德。”

梁武帝一听愣了会儿，心想自己是不是听错了呢？因此他再追问：“怎么会没有功德？”

达摩平静地回答：“这些功德只是能让您下一世去到天界享福而已，还不能结成圆满的佛果[4]。就像影子一样，可以看得到，却不实在，所以说没有功德。”

[2] **供养**：以恭敬的心，将食物、衣服、医药等物品，供养给佛法僧三宝、师长、父母、亡者等。

[3] **功德**：功能、福德的意思，也就是做善事所得到的好处。

[4] **佛果**：通过修行而成佛，修行是“因”，成佛是“果”；所以称为“佛果”。

梁武帝听了很不高兴，又问道：“那怎样才算是真正的功德？”

达摩回答：“不为了求功德而去布施、修行或做佛事，皇上如果能做到这样，就是真正的功德。”

梁武帝听到这里火冒三丈，心想：“搞了半天这和尚还拐个弯来教训我一顿，布施、修行、做佛事——做这些不为了求功德，还为了什么呢？这和尚说的什么歪道理，真不知萧昂去哪儿找来这个假冒高僧的和尚。”

梁武帝咽不下这口气，决定要考倒他：“那么佛陀所说的佛法中，什么是第一神圣的道理？”

达摩简短地回答：“没有所谓的第一神圣。”

梁武帝十分生气，这家伙根本就是目中无人，存心跟自己作对：“你知不知道站在你面前的人是谁啊？”

达摩依然铿锵有力地回答说：“不知道。”

什么都不必再说了，两人怎么说就是话不投机，梁武帝手一挥，愤而离席。

达摩虽然与梁武帝相谈不欢，但是他并没有因此打消在中国弘法的信念回到印度。可是南朝京城已经不可能再让他待下去了，他想了想，只有北渡长江到少林寺探访跋陀三藏。长江此时正是南北朝激烈交战的地方，他一路跋涉来到江边，又遇上了另一个阻碍——没有可以渡江的船，只有一个老妇人带着一捆芦苇草。他向老妇人讨了芦苇草，发挥以前在天竺学会的造船技术，用芦苇草编织了一艘轻巧的小船，渡过了长江，来到北魏国土，终于抵达少林寺，在寺后山上的天然石洞内铺上蒲团，面对墙壁静坐。

跋陀三藏听说来了一个奇怪的天竺僧人，便赶紧前往一看，原来正是昔日约定在中国相会的故友。两人相视一笑，一切尽在不言中。达摩又继续面壁，开始了长达九年的静坐。达摩的弘法信念坚定，他相信只要耐心等待，一定能遇到合适的传法时机。由于他留在中国，最后果然等到了求法心意坚决的弟子慧可，继承他从天竺到中国的法脉[5]。

[5] **法脉**：指师徒之间的法门传承。

达摩虽然是天竺人，却是公认的中国禅宗始祖。他来中国，虽没有立即对当时的中国佛教产生很大的影响，却播下禅宗的种子。如果不是他不畏艰险、坚持弘法的信念，也不会有后来中国禅宗“一花开五叶[6]”的兴盛局面了。

[6] **一花开五叶**：禅宗自六祖惠能以后，衍生出曹洞、临济、云门、沩仰、法眼五派，所以称为“一花开五叶”。

改变西藏历史的一顶帽子

大师密码 Brave 勇敢

我们现在看到西藏的出家人戴的“黄色”帽子，原来可不是这样的，那是经过了一番改革后才有的，其中推动教改的大功臣，就是藏传佛教最重要的大师——“宗喀巴”。

宗喀巴出生在青海省湟中“宗喀”地区，原名罗桑札巴。他七岁出家，十六岁开始到各地去游学。他的天性聪颖，能融会贯通各种佛学，撰写了上百部佛教著作。

三十一岁时，他看到佛教种种乱象，产生改革决定，改戴黄色的帽子，以标志出他的新风格，正式创立格鲁派。

宗喀巴是藏传佛教影响力最大的人物，他所创建的格鲁派也成为西藏四大教派之一。在他去世后，后人为尊敬他而有“燃灯节”，每逢藏历十月二十五日晚上，都会点灯纪念他的改革勇气与成就。

小档案 宗喀巴

- 国籍：中国
- 别称：宝贝佛爷
- 专长：研究佛学，著作等身
- 影响：改革藏传佛教，创立格鲁派，班禅一世、达赖一世是宗喀巴的两大弟子
- 事迹：不怕危险，坚持改革当时衰败的藏传佛教

在遥远的中国西南方，有一个美丽的香格里拉[1]，那是海拔四千多米以上的雪域高原——西藏。那里的阳光特别亮，日照也特别长，人们的脸被晒得黑黑的，笑起来牙齿显得特别白。

那里的人们大多是游牧民族，每天烧煮着热腾腾的酥油茶[2]，过着逐水草而居的生活。平常没事的时候，就转动着手中的经轮[3]，口中诵念着："唵嘛呢叭咪吽。"意思是："礼敬莲中之宝。"

西藏自古以来就是一个虔诚的佛教圣地，人们笃信佛教，一生最大的心愿就是到拉萨朝圣。

❶ **香格里拉**：西藏文化理想中，民风纯朴、与世无争的生活境界。

❷ **酥油茶**：西藏人用以补充营养、御寒与招待宾客的日常饮料。

❸ **经轮**：筒状轮轴，内部放置印有经咒的纸卷。

你常常可以在马路上或者旷野山道间，看到藏民一步一拜地往拉萨的方向前进。可是，这样一个纯洁的佛教圣地也曾有被污染的时刻。

在公元 14 世纪末、15 世纪初（中国明朝初期），当时西藏已分成二十多个教派，其中以噶当派❹、萨迦派❺、噶举派❻、宁玛派❼为重要的四大教派，不过随着时光流逝，佛教界逐渐弥漫着一股腐败的风气。

❹ **噶当派**：公元十一世纪，印度尊者阿底峡进入西藏所传的佛法，被称为“新派”或“新红教”。此派重视戒律，后来宗喀巴继承传统，创建“格鲁派”。

❺ **萨迦派**：公元十一世纪，由贵族昆 · 贡却杰布所创，最著名的领袖是八思巴。主寺萨迦寺四周有红、白、蓝三条色带粉刷的围墙，所以又称“花教”。

❻ **噶举派**：公元十一世纪，为马尔巴所创，由他的弟子密勒日巴继承。噶举派的寺庙都涂成白色，僧侣修法时穿着白袍，所以又称“白教”。

❼ **宁玛派**：公元八世纪，莲华生大士将佛法由印度传入西藏，为西藏最早的佛教先驱，被称为“古旧派”。由于僧侣都戴红帽，所以又称“红教”。

例如，许多出家人不但不待在佛寺里专心修习佛法，整天饮酒作乐，沉迷在歌舞声色中，还彼此争权夺利，争吵打斗；上层的僧人强行霸占庄园，偷偷地囤积财富，甚至利用神通、法术招摇撞骗，还以做法事为借口，把活人的心脏挖来当作供品……种种的恶劣行为，使人们对于佛教逐渐失去信心。

这一天，一位外表健硕修长、年约三十岁的僧人来到了贡塘。他看起来非常特别，眼眸炯炯有神，洋溢着智慧的光彩，走起路来步伐稳重而轻快，看起来似乎什么事都难不倒他。在夜雨停歇的清晨，还传来几个僧人喝了整夜酒，现在才准备归返的吆喝声。这位僧人停住脚步，看着他们狼狈不堪的醉态，不发一语地继续前行。

他不想与他们为伍，他不是来这里吃喝玩乐的，他是来讲学的，要将他学成的大乘佛教经典发扬光大。而那些喝醉酒的僧人们则绝对想不到，眼前这位外地来的僧人已经追随过西藏各地众多知名上师，学习了二十几年的佛教经论——这年头，竟然还有出家人愿意为了学习佛法，花费了这么长的时间。

僧人从容地抵达经旗[8]飘动的寺院门口，报出他的名字："我叫罗桑札巴，我想求见住持。"声音清晰洪亮，充满掷地有声的力量。

[8] **经旗**：写有佛教经咒字样的彩旗，经常横挂在西藏的寺院、山口与街道上。

罗桑札巴，这个被后世尊称为“宗喀巴”的年轻僧人，就这样在贡塘住了下来。他不像其他僧人一样，把佛寺当作办公室，早上过来晃一下，下午就赶回家去忙家里的俗事，晚上几个人还要聚在一起好好地喝几杯，看段歌舞表演，顺便商量如何抢夺其他教派的地盘；有时自己的事忙不过来，干脆连佛寺都不现身。

宗喀巴安静地住在寺院里，专心地修法讲经，有些僧人看到他这么热忱地弘扬佛法，还会尖酸刻薄地嘲讽他：“真是一个自命清高的家伙，他是故意让我们难堪吗？”

但是他们又不能拿他如何，因为这位自命清高的家伙一说起经典来头头是道，其他人完全辩不赢他；而且他丝毫不为世俗权贵所动，不管其他人怎么约他出来玩乐、给他钱财，他就是不受引诱。愈来愈多的老百姓对他认真严谨的修行方式钦佩不已，争相要供养他，一些正规的佛教弟子也希望能跟随他学习殊胜的佛法。

宗喀巴的名声渐渐地传开来，西藏许多著名的佛寺，都纷纷邀约他去讲经。到三十五岁时，宗喀巴已经可以同时讲十七部经，拥有广大的声望与信徒的支持，所收的弟子也愈来愈多，而且经过他所整顿的佛寺，制度都变得更加完善，在教学方面更是按部就班地让佛弟子循序渐进一步步修行学习。

看着那些堕落的僧人如此不像话地糟蹋清净的佛教，宗喀巴的心底也有了主意，他必须设法阻止一切乱象，让藏传佛教重返正统的清流。

他想了想，要以个人单薄的力量对抗整个腐败的现象，只有利用特别的方式来唤醒世人了。

于是宗喀巴特别戴了一顶桃形黄色僧帽现身在一次公开的法会场合。其他僧人都穿着红衣、戴着红帽。在一片红帽中出现唯一的一顶黄帽，格外地引人侧目，宗喀巴不顾他人怀疑的眼光，步伐坚定地迈入大殿，转身面向大家。

“你们一定觉得很奇怪，为什么我要戴上黄帽，而不戴一般的红帽呢？黄色僧帽象征‘严守戒律’的意思，过去以戒律闻名的得道高僧就是戴着黄帽的。我今天戴上黄帽，表示我效法他们守戒的精神。从今天起，我将一直戴着这顶清净的黄帽，因为只有戒律才能够拯救藏传佛教。藏传佛教不能再这样下去了，只要每一个出家人守好自己的戒律，藏传佛教就会有振兴的一天；如果再继续谋求私利、你争我夺，沉沦在如浮云般的虚无繁华里，总有一天大家都会一起淹没在废墟里。”

众人本来眼睛睁得大大的，想要找一些话来反驳宗喀巴，可是不知道为什么，宗喀巴的声音愈说愈具有一股特别的感染力，他的音调中并没有苛责，反而充满了慈悲与诚恳，好像佛寺的钟声一样，把大家沉睡已久的良知给敲醒。僧人们生起忏悔心，一时哑口无言，形成沙漠般的静默，有的人把头垂下，不知在思索什么，有的人甚至流下眼泪来。

酥油烛火继续熊熊燃烧着，照在每一个僧人的脸上，四周只听见烛火燃烧的声音，然后，第一个人摘下了红帽，另一个人也摘下了红帽……直到整个会堂只剩下唯一一顶黄色僧帽。

老禅师的新点子

大师密码 Breakthrough 突破

既然一丈大致等于三米，那么中国的“百丈禅师”是不是有“三百米”那么高呢？

百丈禅师的身高虽然不可能那么高，但是他对中国佛教的影响力，早就远远超过可以被丈量的数字啦！

他因为仰慕马祖道一禅师，就拜他为师。有一次被马祖道一冷不防猛捏过鼻子后，突然智慧大开！不久后，他在江西大雄峰建立起祖宗寺院，突破传统制定专属于祖宗的修行与生活规范，被后来的人称为《百丈清规》，从此以后祖宗就有独立的寺院了。

百丈禅师不但是突破传统的人，更能以身作则，带领弟子严格奉行新的规范，遵守“一天不做事，一天不吃饭”的原则，让禅寺自给自足，自此奠定禅宗屹立不摇的础石。

小档案 百丈

- 国籍：中国
- 别称：大智禅师
- 专长：突破传统，建立符合禅法精神的寺院制度
- 影响：创立禅宗寺院与派规，使禅宗正式成为中国佛教独立宗派名称
- 事迹：创立《百丈清规》

皎洁的月光映照在中国唐朝时代，那是李白对月吟唱“床前明月光，疑是地上霜”的唐玄宗时期。唐玄宗是一个喜欢结交文人雅士的皇帝，他迷恋道教缥缈的仙境，对佛教并不热衷，于是大量裁减佛寺。原本作为佛寺主要经济来源的王公贵族因此纷纷减少供养，只能依赖老百姓的力量，靠着出外托钵[1]乞食存续下去。当时中国佛教僧团因必须持守印度僧团的戒律，不能从事耕作养活自己，所以一旦无人供养就会出现生存的危机。

[1] **托钵**：出家人以手持钵，游行街市以化缘乞食。

在中国南方一带，却有愈来愈多的禅宗修行人，过着独特的修行生活。他们完全不依赖供养或托钵乞食，自己耕田种菜，自给自足；不念佛、不读经，但是在日常生活中活学活用禅法。这种僧团制度上的改革，最重要的关键就是《百丈清规》❷的建立与实行，让中国僧团突破沿袭印度的生活方式，找到一套可以在中国安身立命的适应之道。

时间之钟再往后移动一点点，这时月光照在高耸入云的大雄峰❸，挺拔的山势显得更加崇高，似乎再也没有任何东西可以超越它。

❷ **《百丈清规》**：唐朝时由百丈禅师所制定。禅宗形成初期没有统一的制度，《百丈清规》设立后，成为中国禅宗道场的必要规范。

❸ **大雄峰**：位于江西省奉新县，因百丈禅师在此建立百丈寺，也称为“百丈山”。

百丈老和尚此刻沐浴在月光下，觉得时间过得很快。记得自己才在唐玄宗末期追随著名的南禅大师马祖道一[4]修习禅法而已，如今唐玄宗已驾崩，马祖道一也圆寂。百丈接下禅宗传承的棒子，在唐德宗时期来到大雄峰创立百丈禅寺二十多年，如今已是八九十岁的老人。

白日里的农事耕作已经结束，早晚两次讨论佛法的聚会也刚散会，他慢慢散步回房，信步踏入厨房，厨房却空荡无人，只剩下一口冰冷大灶。他蹲在灶口前探看，望着灶内空有架好的干木柴，却独缺一个火种，变成一口冷灶，颇有感触——师父马祖道一所传给自己的火种，如果没有照顾好，不也就这样熄灭了吗？

而且，过去中国的禅宗一直寄居在律宗[5]的寺院或者住在洞穴里，好不容易建立了专属禅宗的独立寺院，靠着自力耕种来养活自己。尽管出家人拿锄头垦地耕田，在中国可说是头一遭，也被争议得很厉害，说是耕作会伤到泥土里的小生物，但如果不是这样突破的创举，哪还有今天禅宗的存在呢？

❹ **马祖道一**：唐代禅僧，师承怀让禅师。四川广汉人，俗姓马，名道一，世称马大师、马祖。

❺ **律宗**：以奉持、弘扬戒律为宗旨的大乘佛教宗派。

百丈老和尚从厨房离开，若有所思地慢慢走回方丈[6]室。今晚的月光特别明亮，与烛火同时映照在桌上铺展开来的白棉纸上。老和尚端坐好，开始磨起墨，一圈又一圈地画着。老和尚这一辈子就喜欢做开创的事，当年在浮槎寺研读经书，到后来觉得无法突破，便到龚公山跟随马祖道一修习禅法。禅宗摆脱以往佛教烦琐教条的束缚，运用生活中发生的事随时随处开道，这样独特、活泼的修行方法，也是一种重大突破。

现在他决定做另一件突破的事了，就是将这二十几年来在大雄峰实行已久的禅寺规矩，一条条地写下来，建立第一部中国禅宗寺院的规章制度——《百丈清规》，让禅宗的火种可以绵延流传。

百丈运笔蘸饱浓墨，开始在白纸上一字字地书写，月光、烛光同时映照在他遒劲有力的字迹上，一字一句终于完成了前所未有的《百丈清规》。

[6] **方丈**：原意为禅寺住持所居住“一丈四方”的房室，引申为禅门弟子对师父的尊称。

百丈是个说到做到的人，既然立下了《百丈清规》，就要彻底奉行。

特别是他位居方丈之位，是一寺之长，更应该身先士众，亲自带领众人执行，以实践佛法“众生平等”的理念。他认为僧团的每一个人都要工作，不应该区分职位高低。因此已经九十二岁高龄的百丈，每天都跟大家一起拿着锄头、镰刀，卷起裤管、衣袖，在田里高高兴兴地干活。他这种放下方丈身份带头做粗活的实践行动，在当时重视尊卑贵贱、阶级出身的中国，可是一大突破呢！

在一个闷热无风的日子，百丈被酷热的太阳给晒昏过去，倒在田埂上，弟子们慌乱地把他扶回寺内，这在大雄峰可是从未有过的大事。

大伙担心师父年纪大了，体力负荷不了田里的粗活，还这样拼命下田耕种，真是太为难他老人家了。几个人七嘴八舌，决定劝师父从今天起不必再下田，好好待在寺里禅坐就好。

其中一位师兄说：“但师父会答应吗？师父的个性你们又不是不知道，平时他就算生病不舒服，也是一马当先地带着我们去田里工作。”

有人想了个主意：“不然就把他的锄头藏起来吧！找不到锄头，他就没办法工作了。”

众人纷纷点头，想来想去再没有比这更好的办法了。

隔天天刚破晓，所有弟子们都已经聚集在田里头翻土播种。这样工作好一阵子，汗水都流下来，太阳慢慢往天空中间移转，百丈这时冲到田里，着急地问：“有谁看到我的锄头，我找了老半天，都耽误了耕田的活儿。”

众弟子装起傻，都说：“没有啊！师父，既然找不到锄头，您就回去休息吧！”

百丈一看，知道大家分明都在瞒着他，只好说：“那这样，拿备用的锄头来给我吧！”

众弟子又装起傻，劝他说：“没有啊！师父，备用的锄头刚坏了，您就回去休息吧！”

百丈一问三不知，便明白大家的心意，只好顺应大家的意思回到寺里静静打起坐来。这样坐着坐着，午斋时间已到，大伙早从田里回来，煮好了斋饭，等着百丈一起来用斋。左等右等，百丈都不来，请人去看，却看见他还在打坐，不敢打扰又退了出来。就这样，百丈不吃不喝静坐了一整天，到了晚上大家聚会讨论佛法的时间才出现，所有弟子们都跪在殿堂地上，请求他的原谅。

“师父，我们不是故意的，我们是怕您太劳累了，请原谅我们。”

百丈挥挥手要大家起身，他笑笑对众人说：“今天大家可是上了一堂很好的课。各位，你们忘了我们《百丈清规》最重要的规定是什么？‘一日不作，一日不食’，我今天什么工作都没做，理所当然就不应该吃饭。记住，不管任何人都应该严守《百丈清规》的规矩，这样我们禅宗才能流传下去啊！”

为了坚持突破的理念，百丈不仅留下《百丈清规》，还身体力行。他对后世的影响，早已超越了大雄峰。

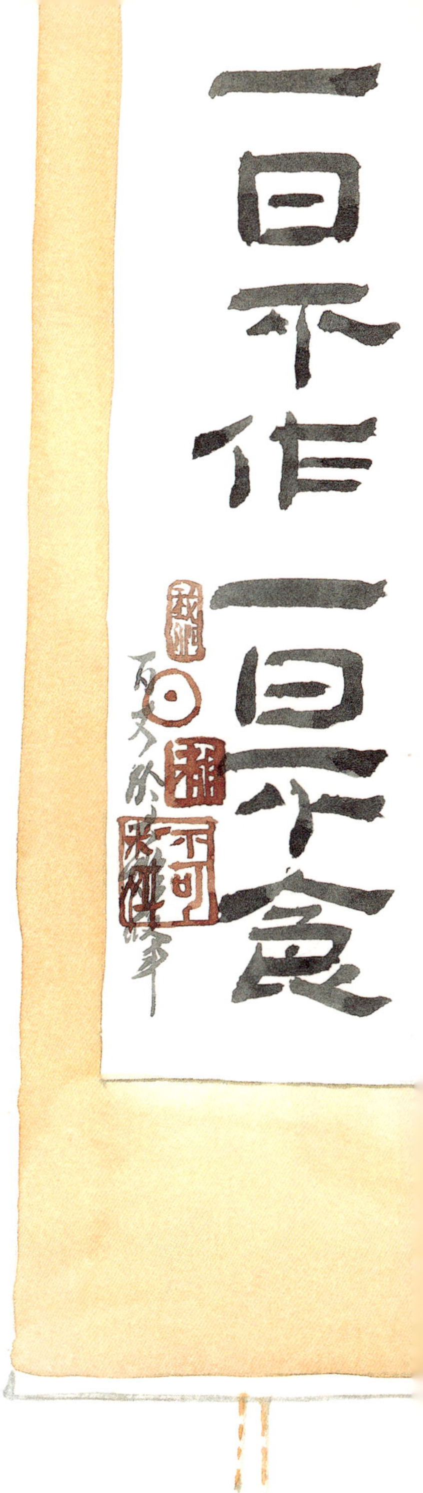

小论师的大智慧

大师密码 Brilliant 智慧

人称“佛陀门下最有智慧的弟子”，这个人到底有多聪慧呢？不过才八岁，却有超龄学问，能让全国的宗教论师都哑口无言；只追随老师七天七夜，就把老师一生所有的学问全部学会了！

这个名叫舍利弗的聪明小孩，爸妈都是印度有名的学问家，他是依着妈妈“舍利”的名字命名，因为他妈妈的眼睛像舍利鸟一样明亮锐利，而“弗”的意思是“儿子”。果然他长大后，智慧也像舍利鸟一样明亮！

大家都公认他的智慧仅次于佛陀，能正确地为大家讲解佛陀的教导，所以，他后来便成为佛陀弘法的“最佳代言人”！

小档案 舍利弗

- 名字：舍利弗
- 国籍：印度
- 别称：佛陀十大弟子“智慧第一”
- 专长：辩才无碍，通达经典
- 影响：率先请佛陀制定戒律，并帮助僧团组织教法、解析内容
- 事迹：被佛陀赞美是佛法的真正传人，解说佛法的能力与佛陀一样优秀

两千五百多年前的古印度，一样是湿热而雨季漫长的气候，来自喜玛拉雅山的印度河及恒河静静流淌在时间中。当时整个印度分成十六个国家，其中较大的一个是位于印度名叫摩揭陀[1]的国家，是当时佛陀传教说法的重地，也是以“智慧第一”闻名于世的佛陀十大弟子之一舍利弗的诞生地点。

摩揭陀国周围有五千多里，是一个土地肥沃的富庶国家，距离首都王舍城[2]大约两三里的优婆提舍村庄，正是舍利弗的家乡。当九、十月舒服的夏秋交接季节，平稳的溪流可以泛舟，衬托着峻丽的群山以及茂密的修竹，呈现出一种淳朴幽静的美。

❶ **摩揭陀**：古代印度中部的一个国家，在佛陀那个时代，印度分为十六个国家，它是其中的一个。

❷ **王舍城**：古代中印度摩揭陀国的都城，是佛陀传教的主要地区之一。

舍利弗出生在古印度最高社会阶级的婆罗门❸家庭。他的父亲提舍是婆罗门教的祭司❹，也是远近驰名的论师❺；他的母亲本来就是一个很有眼光的女人，但在怀舍利弗时，她的智慧变得更高了，甚至连善于议论的弟弟拘稀罗也辩不赢姐姐，拘稀罗领悟出这可能是姐姐受到胎儿的影响，未来的外甥一定是个不凡的人。

果然，舍利弗在很小的时候就展现不同于一般小孩的聪明机智，他不仅爱读书，而且过目不忘，对于各领域的书籍不但都能通解，还能举一反三地和父亲讨论。他并不是那种耍嘴皮的投机取巧，而是沉稳冷静地引经据典，和他一起成长的好朋友目犍连❻每次都被他辩得哑口无言，却对他完全心服口服。

❸ **婆罗门**：古印度社会阶级最高的人，掌握印度所有知识学问。他们的责任为学习与教授知识、为自己与他人祭祀、布施与受施。

❹ **祭司**：神庙的侍奉人员，负责主持祭祀祈祷、节庆典礼、占卜吉凶等宗教活动。

❺ **论师**：丰富学识，并且具有解说、辩论能力的人。

❻ **目犍连**：为佛陀十大弟子"神通第一"，又称目连。他的一生充满了传奇性，其中"目连救母"便是家喻户晓的孝顺故事。

由于自身才华洋溢加上父亲的培养教导，八岁的舍利弗已经熟稔婆罗门教最高知识的吠陀[7]经典。一个八岁的小孩就能了解这样深奥的经典，真是相当不容易，但是吠陀经典也不能满足舍利弗对真理的好奇和追求。他常常自问，也问他学识渊博的父亲：“真理究竟是什么呢？什么才是这世界真正的道理？”

这个答案直到他长大后遇见佛陀才终于明白，当时他的父亲提舍却没有办法回答，只知道这孩子的智慧必定远远超越自己，因为自己的才能只能做到“了解并遵守经典所说的道理”而已；而一个真正具有智慧的人，他不仅仅是理解，还会进一步怀疑，甚至用他一辈子的时光去追寻并印证真理。

[7] **吠陀**：原义为“知识”，印度最古老的知识宝库与宗教文献。婆罗门教认为吠陀是古圣人受神的启示所写成的，特色是神话、宗教、哲学三者合一。

某个秋天舒爽的好日子，摩揭陀国两位德高望重的长者兄弟，哥哥叫吉利，弟弟叫阿伽罗，举办了一个盛大的宴会，除邀约国王、王子和众大臣外，主要的与会贵宾都是国内数一数二的知名论师。因此，虽然以欢聚为由，欣赏优美的宫廷音乐及歌舞，最重要的还是要谈古论今一番，展现各人的学识。

提舍也应邀参与盛会，他不像其他论师带着一群自己的弟子去敲锣打鼓，只带着舍利弗一起前往。八岁的舍利弗虽然是第一次见识到这样的大场面，可是他一点也不慌张，表现得落落大方，丝毫不胆怯。

当时国王正位于上座，王子、大臣及论师们也各自坐在象征他们身份、地位的座位上，彼此寒暄应答，场面非常热络。小舍利弗从容不迫地穿过众人，走到一个论师宝座空位，直接坐了上去，立刻引起众人的侧目。所有人都停止说话，直看着这小孩奇怪的举动，心想："他在做什么呢？"

提舍也跟着坐在舍利弗旁边的位子上，所有人又在想：“是不是他父亲弄错了？这可不是一般的家庭聚会，亲子不可以同座！”

主人吉利使了一个眼色，马上有仆人去请舍利弗下座：“小朋友，这可是尊贵的论师才能坐的座位，你得到外头去。”

舍利弗听了立即回答：“你怎么知道我不是一个论师？”

仆人觉得小孩子真会闹：“小朋友，这可不是开玩笑。你才几岁，怎么会是个论师？乖，跟叔叔到外面去玩。”

舍利弗的表情一派严肃：“谁说论师是以年纪的大小来区别的？论师应该是以智识多寡来论定，谢谢您的好意，但我不是闹着玩的。”

舍利弗这番话让所有人都愣住了，其中一位年长的论师便开口说：“既然你要坐论师的位子，那就得有论师的实力，不如就让我们开开眼界吧！”

主人吉利看局面似乎难以收拾，在征求国王的同意后，正式宣布：“好吧！我们就开始今天的辩论会，请各位论师们尽量发挥实力，谁要先和这位孩子辩论呢？”

论师们你看我、我看你，谁也不肯上阵，堂堂论师和一个八岁小孩辩论，那不是很丢脸吗？不如先派弟子们上场吧！年轻的弟子们态度轻率，一副看不起舍利弗的样子，但他们学问不够，所能提出的问题仅止是经典上最粗浅的皮毛，而且也是东拼西凑，缺乏全面性的了解。舍利弗不仅流利谦和地回答了所有问题，还详细解说吠陀诗句所要传达的义理，为他们上了一课。

舍利弗话语才出口，立刻震撼了现场所有的论师，当然也包括他的父亲提舍，因为吠陀是世界上最古老的诗篇，也是印度古圣人受到神的启示所写出的深奥哲理；不要说是弟子，就算是论师们，能够完整通晓吠陀经典的人也寥寥无几，更何况是八岁的小孩呢！不！这孩子可一点都不小，所有的论师们都纷纷点头称是，欢迎舍利弗坐上真正属于他的智慧之位。

独臂禅师与刺客

大师密码 Broad-minded 宽大

为什么慧可能感动中国禅宗祖师达摩，走出闭关九年不出的山洞？

不只是因为慧可自断手臂的求法决心，也是因为他久立雪中不走的毅力，让达摩相信他是真正能够一肩挑起传扬禅法重任的人。

慧可是南北朝时代人，俗姓姬，原名“神光”，他从小就好学不倦，四十岁时来到嵩山少林寺，向达摩求法。

之后，他因为在一场辩论中胜过别人，结果受到迫害。他的心胸非常宽大，始终都心无怨恨，直到一百零七岁逝世为止，一直持续不断地为人传法。

小档案 慧可

- 国籍：中国
- 别称：中国禅宗二祖
- 专长：禅修
- 影响：将达摩从印度带来的禅法，在中国传承下去
- 事迹：遭受攻击却临危不乱，以宽厚的态度感化了刺杀自己的刺客

下雪了，白色的雪花自天空纷飞而落。这一场雪下得很大，只一个晚上就把整个世界覆盖成白茫茫的一片。雪，不分美丑，把一切事物都遮住了，只留下纯粹的白。世界就这样变成一个纯洁的白色国度。

从黄河穿越而来的冷风唤醒了一百零七岁的慧可老和尚，正在静坐的他睁开眼睛，打量着户外悄悄形成的辽阔白色雪国，没有边境，没有界线。老和尚微微一笑，伸出手接着一片片飘扬而下的雪花，雪花落在苍老的手掌上融化不见后，老和尚又笑了。

雪，让他想起了长河一般的历历往事，以及生命中重要的转折点，那是魏晋南北朝的旧事了！

六十七年前，他做了一场梦，梦中有人告诉他："往南走，必遇见一师。"于是他往南走，来到嵩山少林寺，寺中果真有一位从印度来的禅宗大师达摩，正在寺院后方石洞内进行九年的面壁静坐。

达摩为什么要来中国呢？他来中国是要找一个"不受人欺"的人，以弘扬禅法。当慧可日复一日地伫立在大雪纷飞的洞门口外，祈求达摩能够当他的老师，甚至为了展现求法的决心自断手臂时，达摩便明了这位雪中人就是自己来中国所要寻找的人。

他为了求法连自己的手臂都可以不要了，必然也是一位可以舍弃一切，心胸宽大的人：只有心胸宽大的人才能不受人欺，因为心胸宽大的人可以像大海一样，包容所有的挫折和逆境。

慧可老和尚记得达摩最终受感动收自己为徒，并教导自己六年时光，最后给予的训勉是："你要努力发扬禅宗，不管遇到任何人都不要放弃，因为只要一念之间看到自己内在的真性，就是觉悟了。"

对于任何人都要一视同仁，不管那个人是不是自己的亲朋好友，或是一个陌生人，或是一个不喜欢的人，甚至是一个敌人，自己都要平等地对待他们、宽爱他们、教导他们，这不是很困难吗？但是慧可决定要这么做，身为在中国建立禅宗的第一个汉人，如果自己对别人产生了排斥心，那么别人也会排斥自己所要宣扬的禅法。

几许雪花飘落在老和尚的长胡须上，慧可的心思沉稳又安静，完全不被雪花打动，老人家的皱纹显露智慧的痕迹，但那些历练过的风霜却像漫漫的大雪一样，在曾经的岁月中一波波袭来。老人家心想："如果不是师父的这一番话，多年来一直谨记在心，也许自己早在另一场雪中被刺客刺死了。"

这要从何说起呢？

接受达摩大师的衣钵❶后，慧可开始阐扬禅宗，尽管初期的禅宗常常遭受排挤，但慧可依然努力不懈地说法，并寻找接棒的人。后来他遇上了僧璨❷，便将自己的传承安心地交付给他。但是慧可知道自己的责任未了，于是他来到邺都讲一心不乱的“定”学。慧可讲经很有说服力，吸引了非常多的信众，这引起邺都另一名禅师道恒的嫉妒，他认为慧可所说的法是“魔语”，便派人去刺杀慧可。

❶ **衣钵**：衣是出家人穿着的袈裟，钵是出家人进食的容器，两者都是出家人最重要的持有物品。在禅宗里，衣钵是指师徒间法门传承的凭借物品。

❷ **僧璨**：隋朝的出家人，四十岁时追随慧可出家，后来又传法给道信。后世称为禅宗三祖。

那一晚，也下着轻飘飘的雪，刺客的脚印在雪中划出两道长长的轨迹。慧可正在闭眼静坐，在完全的沉静中，他听见了宇宙中所有的声音。当宇宙中所有的声音在他的心中消失后，只剩下纯粹的呼吸，最后连呼吸也消失，他进入一个没有任何念头的平静世界。突然，雪地被脚印划开的轻微声响进入他的耳朵里，他感到一股袭击的杀气，但他却不为所动，也不感到害怕。

他为什么要害怕？就算来的人是一个要杀自己的朋友，他也可以接受这个人，可以把他当成自己的朋友。他的师父要他对所有的人都不放弃，当然，他也不应该放弃这个要杀他的敌人。

刺客悄悄推开门，把腰间的剑拔出，即将刺向静坐的慧可，就在剑要落下的那一刻，慧可睁开双眼，慈悲地看着刺客，同时以温和的语气对他说："如果取我一条性命，可以让你感到快乐的话，那么就请动手吧！"

刺客吓了一大跳，一时慌了手脚，源源不绝的宽爱从和尚的眼中流露出来，他可以感受到这位和尚是发自真心地接受自己的杀害，而自己怎能够对一个充满宽爱的人下毒手呢？自己莫名的仇恨心究竟从何而来呢？他无比惭愧，扑通跪在地上，请求慧可的原谅："对不起，请原谅我的罪行。"

慧可扶起他，并对他说："你的罪在哪儿啊？我没看见呢！你的心原本就是纯洁的，不过是被坏念头的乌云遮住了而已。只要让乌云散开，你就能看见自己纯洁的心。"

多年后的此刻，老和尚都能感受到那名刺客即将离去时的感激。他自己也感激师父达摩所给予的开示，使他后来虽被道恒一次次地加害，甚至颠沛流离四十多年，隐藏才能、改变容貌在市井街巷做粗重工作，都能把这些迫害当作是磨炼自己心性的考验，不仅谦卑为怀，而且还能加强他对人的包容力，心中只有帮助人的善念，没有一丝的恨意。

雪停了。一个人胸襟，是否也可以像这一片无边无际的雪域一样宽广？老和尚又静静合上了眼睛，进入雪白的辽阔国度。